迪士尼 **我会自己读** 第**2**级

在天上看到了什么

童趣出版有限公司编　　人民邮电出版社出版
北　京

缓步出发大步走

儿童阅读的作用和意义，家长们已经达成共识，不再需要热烈讨论。不过，家长们还是有一些普遍困惑，例如，孩子在幼儿园要不要识字？通过什么方式识字？孩子在幼儿园不识字能否应对小学之初的压力？如何处理父母读和自主读的关系？阅读兴趣和语言学习如何兼顾？

这套书正是为了解答上述疑惑而编写的。编写者希望在儿童阅读的纷繁流派中，坚持一些基本观点，探索中国孩子学习阅读的独特途径。这些观点主要如下：一、早期阅读要把阅读兴趣的培养放到最重要的位置来考虑；二、通过这套书让孩子在幼儿园认识 400 个常用字，为小学阶段的学习减轻压力和奠定基础；三、不鼓励父母用识字卡片的方式教孩子识字，把生字放到故事中更有意义；四、在小学三年级的阅读关键期，实现孩子自主阅读；五、幼儿园阶段既鼓励亲子阅读，又鼓励孩子自主阅读。由此，这套书主要有如下特点：

科学性。从选择高频、简单、构词能力强的字先认，到通过各种方式复现，再到故事内容的打磨，最后培养出优秀的阅读者。从分级阅读的角度，综合考虑生字、生词、句子长度、主题深浅等多个因素，编写出难度递增的故事。

趣味性。选择了迪士尼的漫画人物和漫画故事作为主要内容，降低阅读难度，增强阅读趣味。由于有识字的安排，创作故事犹如"戴着镣铐跳舞"，但故事仍然精彩十足，劲道十足。

功能性。把识字放在重要位置，同时兼顾文学性。和时下流行的图画书不同，本套书把学习功能放到重要位置。希望通过有趣的故事，让孩子认识汉字，早日实现自主阅读。

希望通过这套书，帮助孩子在阅读之路上缓缓起步，培养自信，锻炼能力，然后再大步流星，一路前行，成为趣味高雅、兴趣充盈的阅读者！

王林（儿童阅读专家）

在天上看到了什么

春天来了天气好，

花儿美丽草儿笑。

高飞的 风筝 飞得高，

唐老鸭 的 影子 跟他跑。

5

来吧，来吧，好朋友，

大家快快跟我走。

飞到天上看一看，

黛西

在前你在后。

米妮

在做什么？气不多可飞不高啊。

"我们要飞得高高的！"

不一会儿，朋友们高高地飞到了天上。

"真棒啊！"

"地上的人看上去好小啊！"

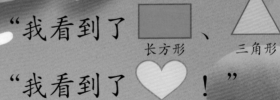

"我看到了 ⬜、△！"
长方形　　　三角形

"我看到了 ♡！"
心形

"我看到了十一个 △ ！"

三角形

"我看到两个  ，八个 ！"

小松鼠

米奇头

不好，大山！

快看，飞来了！

土豆

！真棒！大家下去吧。

梯子

大家下到地上，好开心啊！

"我们回家吧！回家吃饭去！"

大家走啊走啊，走不到家了！

家在前面？家在后面？

"不好，我们又走回来了！"

土豆 又飞来了。影子!大家看着影子,

很快回到了家。

开饭了!朋友们吃了好多好多。

找不到高飞了

米奇 的朋友们要好好地玩儿一天，
可是少一个人，是高飞。

26

大家找啊找啊，找不到高飞。

"跟我来，到上面看看去吧。"

大家看，高飞的家。高飞在家睡觉呢！

大家高高兴兴出门去找高飞。

风真大，的 手绢 飞出去了。
米妮

指路牌 动了。大家找不到高飞的家了。

好在土豆 飞来了。看，指南针 ！

指南针　真棒！朋友们找到高飞的家了。

大家来到高飞的家，开门
进去，看到高飞正在睡觉。
"天啊！高飞！"
"高飞，跟我们玩儿去吧！"

高飞醒了。朋友们开心地笑了。

找一找：是什么把高飞叫醒的？

为下面每个字找到与它意思相反的字吧!

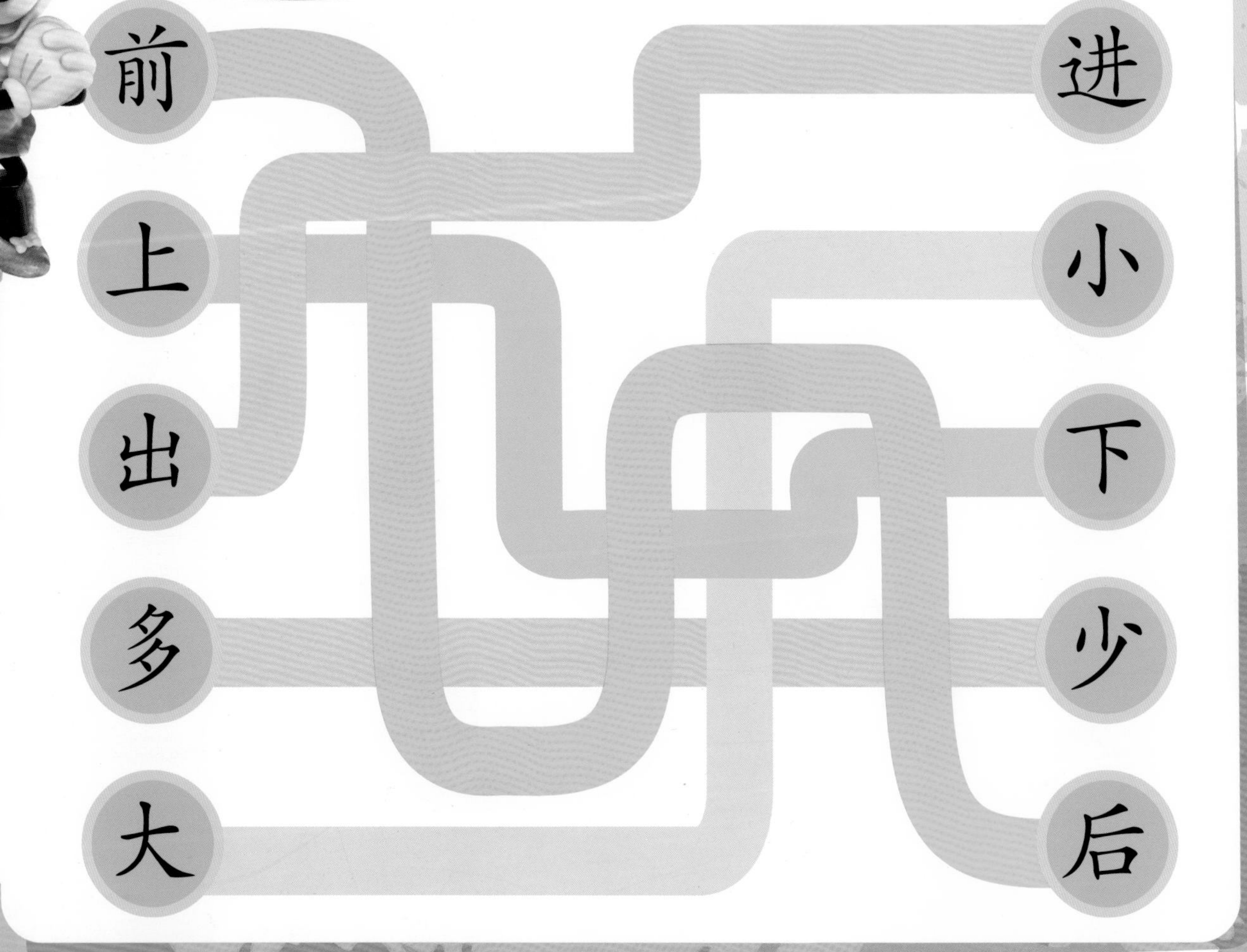

前　　　　　　　　　　进

上　　　　　　　　　　小

出　　　　　　　　　　下

多　　　　　　　　　　少

大　　　　　　　　　　后

米奇被坏人骗到了迷宫里，他只要找到迷宫里四个词语就能获救。小朋友，快来帮他把词语用线连接起来吧！

游戏测试页

为下面两幅图选择一句正确的句子吧！并把它旁边的 ☆ 涂上颜色。

☆ **大家在吃好吃的。**

☆ **大家睡着了。**

☆ **大家飞到了天上。**

☆ **大家在家里玩儿。**

超范围字

miàn	ne	dòng	jiào	bǎ	xǐng	jiào	zhèng
面	呢	动	叫	把	醒	觉	正

一	二	三	四	五	六	七	八	九	十	两
上	下	大	小	多	少	前	后	花	草	天
地	春	鸟	朋	友	气	山	木	马	森	林
人	子	手	心	门	饭	水	出	去	到	来
看	吃	笑	找	爱	玩	跑	飞	走	开	回
要	进	坐	生	是	想	谢	做	睡		
学	会	个	儿	了	只	的	不	什		
么	们	跟	又	啊	吧	在	得	可		
高	兴	好	早	快	真	棒	乐	美		
丽	很	我	你	爸	妈	家	他	她		

米奇和他的朋友们的故事真好看，我还想看！下面的小书你都看过了吗？看过了就在书的旁边打个"√"，没有看过的快去看吧！

专家小贴士

建议孩子同一级别的书多读几本，提高生字的复现率，便于孩子强化巩固已认生字。